Petits fours sucrés

LAROUSSE

21 rue du Montparnasse 75283 Paris Cedex 06

SOMMAIRE

Macarons au chocolat

POUR 20 MACARONS ENVIRON

PRÉPARATION : 40 MIN

RÉFRIGÉRATION : 1 NUIT

REPOS : 20 MIN

CUISSON : 20 À 25 MIN

> 4 blancs d'œufs
> 220 g de sucre glace
> 120 g d'amandes en poudre
> 50 g de sucre en poudre
> 30 g de cacao amer en poudre

Pour la ganache

> 175 g de chocolat noir
> 30 cl de crème fraîche liquide

1. La veille, placez les blancs d'œufs au frais.

2. Le jour même, préparez la ganache. Faites fondre le chocolat au bain-marie, puis ajoutez-y la crème et lissez à la spatule. Réservez.

3. Préparez les macarons. Préchauffez le four à 160 °C (therm. 5-6). Mélangez le sucre glace et les amandes en poudre, puis étalez le tout sur une plaque de cuisson. Enfournez et faites sécher de 5 à 10 minutes. Dans un saladier, montez les blancs d'œufs en neige très ferme, puis ajoutez progressivement le sucre, sans cesser de fouetter. Ajoutez le cacao au mélange sucre-amandes, puis incorporez délicatement le tout aux œufs en neige à l'aide d'une spatule. Garnissez une poche à douille lisse de la préparation, puis formez des ronds de pâte réguliers sur une plaque de cuisson recouverte de papier sulfurisé. Réservez 20 minutes, puis enfournez et faites cuire de 12 à 15 minutes.

4. Laissez tiédir un peu, puis faites couler un filet d'eau entre le papier et la plaque et décollez les coques. Assouplissez la ganache à la spatule, garnissez-en la moitié, puis disposez le reste des coques. Conservez au frais avant de déguster.

Les cranberries fraîches sont des baies d'hiver. Le reste de l'année, utilisez des airelles surgelées, et, en saison, des groseilles pour donner à ces mousses la même note acidulée.

Mousses choco-cranberry

POUR 6 VERRINES
PRÉPARATION : 25 MIN
CUISSON : 5 MIN
RÉFRIGÉRATION : 1 H

Pour le coulis de cranberries

> 1 feuille de gélatine
> 150 g de cranberries
> 3 cuill. à soupe de jus d'orange
> 50 g de sucre en poudre

Pour la mousse

> 3 blancs d'œufs
> 50 g de sucre en poudre
> 150 g de chocolat noir
> 2 cuill. à soupe de lait
> 2 jaunes d'œufs

1. Préparez le coulis de cranberries. Faites ramollir la feuille de gélatine dans un bol d'eau froide. Dans une casserole, faites chauffer les cranberries, le jus d'orange et le sucre 5 minutes à feu doux. Hors du feu, ajoutez la feuille de gélatine et mélangez soigneusement pour bien la dissoudre. Laissez refroidir, puis placez au moins 1 heure au frais.

2. Préparez la mousse. Montez les blancs d'œufs en neige ferme en incorporant le sucre à mi-parcours. Dans un saladier, faites fondre le chocolat au bain-marie avec le lait, ajoutez les jaunes d'œufs et lissez bien le tout. Incorporez délicatement les blancs en neige à l'aide d'une spatule souple.

3. Répartissez la mousse dans des coupes individuelles, puis réservez au frais. Versez le coulis de cranberries sur la mousse et servez.

Simples et rapides à réaliser, ces cônes ont un délicat parfum de fleur d'oranger. Veillez à les garnir à la dernière minute, car l'humidité de la crème risquerait de les ramollir.

Mini-cônes fourrés de panna cotta à la fleur d'oranger

POUR 12 MINI-CÔNES
PRÉPARATION : 10 MIN
CUISSON : 5 MIN
RÉFRIGÉRATION : 12 H

> 2 feuilles de gélatine
> 35 cl de crème fraîche liquide
> 20 g de sucre en poudre
> 3 cuill. à soupe d'eau de fleur d'oranger
> 12 mini-cônes feuilletés (dans les épiceries fines)

1. La veille, plongez la gélatine dans un récipient d'eau froide, puis essorez-la. Dans une casserole, portez la crème liquide et le sucre à ébullition. Retirez du feu, puis ajoutez l'eau de fleur d'oranger et la gélatine essorée. Mélangez bien le tout, puis laissez refroidir, et placez au frais jusqu'au lendemain.

2. Le jour même, garnissez les cônes de la panna cotta parfumée à la fleur d'oranger et servez aussitôt.

Crumbles à la crème aux fruits de la Passion

POUR 12 VERRINES
PRÉPARATION : 20 MIN
CUISSON : 20 MIN

> 8 fruits de la Passion
> 75 g de beurre ramolli
> le jus de 1 citron
> 75 g de sucre en poudre
> 2 œufs
> 2 jaunes d'œufs

Pour la pâte à crumble

> 100 g de palets bretons
> 50 g de pralin (dans les épiceries fines ou bio)
> 25 g de beurre
> 50 g de cassonade

1. Coupez les fruits de la Passion en deux et retirez-en la pulpe à l'aide d'une cuillère. Passez-la dans un petit tamis au-dessus d'un saladier afin d'éliminer les graines. Dans un autre saladier, réunissez le beurre, le jus de citron, la pulpe des fruits de la Passion, le sucre, les œufs entiers et les jaunes d'œufs, puis mélangez le tout au fouet. Dans une casserole à fond épais, faites cuire la préparation 5 minutes à feu doux, sans cesser de remuer, jusqu'à obtention d'une crème pâtissière. Retirez du feu et laissez refroidir.

2. Préparez la pâte à crumble. Préchauffez le four à 180 °C (therm. 6) et tapissez une plaque de cuisson de papier sulfurisé. Cassez grossièrement les palets bretons à la main. Dans le bol d'un robot, réunissez le pralin, le beurre, la cassonade et les morceaux de palets bretons. Mixez par impulsions jusqu'à obtention d'un mélange sablonneux. Étalez ce mélange sur la plaque de cuisson et enfournez pour 15 minutes. Laissez refroidir hors du four. Répartissez la crème dans des verrines et recouvrez de crumble.

Le grué de cacao est de la fève de cacao concassée. Il donne croquant et caractère aux biscuits et confiseries au chocolat.

Tuiles au cacao

POUR 20 TUILES ENVIRON

PRÉPARATION : 20 MIN

CUISSON : 15 MIN

> 30 g de farine
> 100 g de sucre en poudre
> 10 g de cacao amer en poudre
> 90 g de beurre
> 2 cuill. à soupe de lait
> 25 g de grué de cacao (dans les épiceries fines)

1. Préchauffez le four à 180 °C (therm. 6). Dans un saladier, mélangez la farine avec le sucre et le cacao. Dans une petite casserole, faites fondre le beurre avec le lait, laissez tiédir, puis versez-les dans le mélange sec et remuez bien. Ajoutez le grué et mélangez de nouveau.

2. Sur une feuille de papier sulfurisé ou de silicone, déposez la pâte en petits tas très espacés, une cuillerée à soupe à la fois. Enfournez et faites cuire pendant 8 minutes.

3. Sortez les disques de pâte du four et décollez-les avec une spatule dès que possible – s'ils se déchirent, attendez un peu. Appliquez-les sur un rouleau à pâtisserie ou une bouteille, pour leur donner une forme de tuile. Si les disques durcissent trop vite, remettez-les 1 minute au four ; ils seront à nouveau malléables.

Mini-tartelettes à la framboise

POUR 24 TARTELETTES
PRÉPARATION : 35 MIN
CUISSON : 15 MIN
RÉFRIGÉRATION : 3 H

> 2 pâtes sablées prêtes à étaler
> 2 feuilles de gélatine
> 80 g de framboises
> 35 g de sucre en poudre
> 20 cl de crème fraîche liquide
> quelques perles de sucre

1. Préchauffez le four à 180 °C (therm. 6). Beurrez 24 moules à tartelettes. Étalez les pâtes sablées, découpez 24 disques de 8 cm de diamètre à l'aide d'un emporte-pièce, puis garnissez-en les moules. Piquez les fonds à l'aide d'une fourchette, déposez un rond de papier sulfurisé sur chacun ainsi que des haricots secs, puis enfournez pour 10 minutes. Laissez refroidir, puis démoulez les fonds de tarte.

2. Dans un bol d'eau froide, faites tremper les feuilles de gélatine, puis essorez-les. Mixez les framboises à l'aide d'un robot jusqu'à obtention d'un coulis, puis passez-le au tamis au-dessus d'une casserole. Ajoutez le sucre en poudre et 2 cuillerées à soupe d'eau, puis portez à petite ébullition. Retirez du feu, puis incorporez la gélatine essorée en mélangeant soigneusement. Laissez refroidir.

3. Dans un saladier, fouettez la crème liquide en chantilly bien ferme, puis incorporez-la à la préparation à la framboise. Versez la mousse ainsi obtenue dans une poche à douille et répartissez-la sur les fonds de tarte. Réservez au frais pendant 3 heures. Parsemez les mini-tartelettes de perles de sucre et servez.

Pour les plus gourmands, accompagnez ces petites barquettes d'une chantilly bien ferme arrosée d'un filet de miel fleuri.

Barquettes chocolat-noix de pécan

POUR 6 BARQUETTES
PRÉPARATION : 25 MIN
CUISSON : 10 À 15 MIN
RÉFRIGÉRATION : 2 H 30

- > 1 pâte sablée prête à étaler
- > 175 g de chocolat noir
- > 20 cl de crème fraîche liquide
- > 1 sachet de sucre vanillé
- > 18 noix de pécan

1. Préchauffez le four à 200 °C (therm. 6-7). Beurrez des moules à barquettes et garnissez-les de pâte sablée. Piquez bien les fonds et enfournez de 10 à 15 minutes.

2. Faites fondre le chocolat au bain-marie, puis ajoutez la crème liquide et le sucre vanillé. Lissez bien le tout à l'aide d'une spatule.

3. Hachez grossièrement 12 noix de pécan, puis répartissez-les sur les fonds de pâte sablée. Recouvrez-les de ganache au chocolat, puis disposez 1 noix de pécan entière sur chaque barquette.

4. Laissez refroidir 30 minutes à température ambiante, puis placez au frais pendant 2 heures avant de servir.

Des muffins moelleux à partager en famille ou entre amis !

Muffins banane-chocolat

POUR 20 MUFFINS

PRÉPARATION : 20 MIN

CUISSON : 20 À 30 MIN

> 150 g de farine blanche
> 150 g de farine complète
> 2 1/2 cuill. à café de levure
> 2 cuill. à café de bicarbonate de soude
> 1 pincée de sel
> 2 grosses bananes
> 100 g de cerneaux de noix
> 120 g de beurre ramolli
> 200 g de sucre en poudre
> 3 œufs
> 4 cuill. à soupe de lait
> 200 g de pépites de chocolat

1. Préchauffez le four à 190 °C (therm. 6-7). Dans un saladier, mélangez les farines, la levure, le bicarbonate de soude et le sel.

2. Écrasez les bananes à la fourchette. À l'aide d'un gros couteau, concassez grossièrement les cerneaux de noix. Dans un autre saladier, fouettez le beurre ramolli avec le sucre, puis incorporez les œufs un à un. Ajoutez les bananes, puis le mélange de farines et le lait, petit à petit. Ajoutez les pépites de chocolat et les noix.

3. Versez la pâte dans des moules à muffins en les emplissant aux deux tiers. Enfournez et faites cuire de 20 à 30 minutes, jusqu'à ce que les muffins soient dorés et gonflés. Sortez-les du four, laissez-les refroidir sur une grille, puis démoulez-les.

Verrines de gelée de fraise et chantilly fruitée

POUR 12 VERRINES
PRÉPARATION : 30 MIN
CUISSON : 20 MIN

> 20 cl de crème fraîche liquide
> 10 g de mascarpone
> 50 g de rhubarbe fraîche ou surgelée
> 1 cuill. à café de cassonade
> 2 feuilles de gélatine
> 25 g de fraises + 6 pour décorer
> 1 cuill. à café de sucre glace
> 1 poignée de groseilles pour décorer

1. Dans un saladier, réunissez la crème liquide et le mascarpone, puis réservez au frais.

2. Épluchez la rhubarbe et coupez-la en tronçons. Mettez ceux-ci à cuire dans une casserole avec la cassonade et 15 cl d'eau, pendant 15 minutes à feu doux. Passez le jus au tamis et réservez-le, ainsi que la compote obtenue.

3. Plongez les feuilles de gélatine dans un bol d'eau froide, puis essorez-les. Équeutez les 25 g de fraises, puis placez-les dans le bol d'un robot avec le jus de cuisson de la rhubarbe et mixez. Versez le coulis dans une casserole, portez à ébullition, puis passez-le au tamis. Incorporez la gélatine en mélangeant soigneusement, puis répartissez la gelée de fraises dans des verrines. Réservez au frais.

4. Montez le mélange de crème et de mascarpone en chantilly au fouet électrique en incorporant le sucre glace petit à petit. Incorporez délicatement la crème Chantilly à la compote de rhubarbe avec une spatule, sans chercher à obtenir un mélange homogène, puis répartissez-la sur la gelée de fraises. Décorez avec les fraises préparées et les groseilles.

Plusieurs fournées seront nécessaires, selon la taille de votre four et le nombre de petits moules à visitandines dont vous disposez. Pour les démouler plus facilement, tapez légèrement le moule sur la table avant de le retourner.

Visitandines

POUR 40 VISITANDINES
PRÉPARATION : 20 MIN
RÉFRIGÉRATION : 1 H
CUISSON : 8 À 10 MIN PAR FOURNÉE

- > 4 blancs d'œufs
- > 40 g de farine
- > 185 g de beurre
- > 125 g de sucre en poudre
- > 125 g d'amandes en poudre

1. Mettez 3 blancs d'œufs dans un bol, 1 blanc dans un autre, puis placez-les au réfrigérateur pendant au moins 1 heure afin qu'ils soient bien froids. Préchauffez le four à 220 °C (therm. 7-8).

2. Tamisez la farine. Faites fondre le beurre doucement au bain-marie. Montez en neige très ferme le blanc seul, puis remettez-le au frais. Dans un saladier, mélangez le sucre et les amandes en poudre. Incorporez progressivement la farine ainsi que les 3 blancs, en travaillant bien le mélange. Ajoutez le beurre fondu, à peine tiède, puis le blanc battu en neige.

3. Beurrez des petits moules à barquette, puis répartissez la préparation en petites masses, à l'aide d'une poche munie d'une grosse douille lisse.

4. Enfournez et faites cuire de 8 à 10 minutes – les gâteaux doivent être dorés à l'extérieur et moelleux à l'intérieur. Sortez-les du four, laissez-les refroidir sur une grille, puis démoulez-les.

Mousses au caramel et aux spéculos

POUR 12 RAMEQUINS
PRÉPARATION : 25 MIN
CUISSON : 15 MIN
RÉFRIGÉRATION : 1 H

> 3 œufs
> 80 g de farine
> 200 g de sucre en poudre
> 1 l de lait
> 70 g de sucre en morceaux
> 3 spéculos

1. Cassez les œufs en séparant les jaunes des blancs. Dans une terrine, mélangez la farine et le sucre, puis creusez un puits au centre et incorporez les jaunes d'œufs. Délayez le mélange avec un peu de lait.

2. Dans une casserole, portez à ébullition le reste de lait, puis versez-le dans la terrine en mélangeant constamment avec une cuillère en bois. Versez la crème obtenue dans la casserole, puis portez à ébullition à feu doux sans cesser de remuer. Laissez cuire 4 ou 5 minutes, puis retirez du feu.

3. Dans une petite casserole, faites chauffer les morceaux de sucre imbibés d'eau. Quand le caramel a atteint la couleur souhaitée, versez 3 cuillerées à soupe d'eau pour stopper la cuisson. Incorporez le caramel à la crème.

4. Battez les blancs d'œufs en neige ferme au fouet électrique, puis incorporez-les délicatement à la crème au caramel. Versez la préparation dans des ramequins et placez au réfrigérateur pendant 1 heure.

5. Émiettez les spéculos et saupoudrez-en les mousses avant de servir.

Servez ces meringues seules ou avec un sorbet au chocolat, par exemple.

Meringues au café

POUR 50 MERINGUES ENVIRON

PRÉPARATION : 15 MIN

CUISSON : 1 H

> 3 blancs d'œufs
> 1 pincée de sel
> 60 g de sucre en poudre
> 1 cuill. à café d'extrait de café
> 1 cuill. à café de fécule de maïs

1. Laissez les blancs d'œufs à température ambiante pendant 1 heure, puis montez-les en neige très ferme avec le sel. Incorporez progressivement le sucre, puis l'extrait de café et la fécule de maïs et continuez à fouetter quelques instants.

2. Préchauffez le four à 100 °C (therm. 3) et tapissez une plaque à pâtisserie de papier sulfurisé. Mettez la préparation dans une poche munie d'une grosse douille lisse, puis disposez des boules de meringue sur le papier, en les espaçant bien les unes des autres. Enfournez pour 1 heure au moins, jusqu'à ce que les meringues soient sèches au toucher sans être colorées.

3. Sortez les meringues du four, laissez-les refroidir, puis décollez-les délicatement de la feuille de papier sulfurisé.

Un soupçon de menthe donne à ce brownie une petite touche britannique irrésistible !

Brownies chocolat-menthe

POUR 16 BROWNIES
PRÉPARATION : 20 MIN
CUISSON : 35 MIN

> 1 poignée de feuilles de menthe
> 220 g de sucre en poudre
> 130 g de chocolat noir (de couverture, de préférence)
> 120 g de beurre
> 220 g de sucre blond en poudre
> 2 œufs
> 2 cuill. à soupe de liqueur de menthe
> 125 g d'amandes
> 160 g de farine
> 2 cuill. à soupe de sucre glace

1. Préchauffez le four à 180 °C (therm. 6). Dans le bol d'un robot, mixez les feuilles de menthe avec le sucre en poudre. Faites fondre le chocolat et le beurre au bain-marie. Dans un bol, mélangez rapidement les œufs avec la liqueur de menthe. À l'aide d'un gros couteau, concassez grossièrement les amandes.

2. Versez le sucre parfumé à la menthe, le sucre blond et les œufs dans le chocolat fondu, puis mélangez délicatement. Ajoutez la farine et les amandes, puis mélangez à nouveau.

3. Versez la pâte dans un plat non métallique et lissez bien la surface. Enfournez pour 30 minutes – l'intérieur doit rester mou.

4. Sortez le gâteau du four, laissez-le refroidir, puis découpez-le en parts carrées. Saupoudrez de sucre glace avant de servir.

Un grand classique : gourmand et indémodable.

Truffes au chocolat noir

POUR 20 TRUFFES ENVIRON

PRÉPARATION : 20 MIN

CUISSON : 5 MIN

RÉFRIGÉRATION : 2 H

> 300 g de chocolat noir
> 1 cuill. à soupe de lait
> 100 g de beurre
> 2 jaunes d'œufs
> 3 cuill. à soupe de crème fraîche épaisse
> 125 g de sucre glace
> 1 cuill. à soupe d'alcool de votre choix (facultatif)
> 250 g de cacao amer en poudre

1. Dans une petite casserole au bain-marie, faites fondre le chocolat avec le lait jusqu'à ce qu'il soit bien lisse. Incorporez progressivement le beurre en petits morceaux. Ajoutez les jaunes d'œufs un par un, la crème épaisse, le sucre glace, et, éventuellement un alcool de votre choix. Fouettez la pâte pendant 5 minutes, puis étalez-la sur une plaque recouverte de papier sulfurisé en une couche épaisse de 2 cm environ. Placez-la au réfrigérateur pendant 2 heures.

2. Étalez le cacao en poudre dans un grand plat. Sortez la pâte du réfrigérateur et découpez-la en petits carrés. Prenez une portion de pâte, formez rapidement une boule entre vos doigts, puis roulez-la aussitôt dans le cacao – agissez vite, pour que les truffes ne ramollissent pas. Procédez ainsi jusqu'à épuisement de la pâte. Placez les truffes dans une coupe, et gardez-les dans un endroit frais, jusqu'au moment de les déguster.

Préparés avec des amandes, ces mendiants sont tout aussi gourmands. Essayez-les aussi avec du chocolat au lait.

Mendiants aux fruits secs

POUR 20 MENDIANTS
PRÉPARATION : 10 MIN
CUISSON : 5 MIN
REPOS : 2 H

> 120 g de chocolat noir
> 20 pistaches non salées
> 20 noisettes grillées
> 20 raisins secs
> quelques zestes d'orange confite

1. Cassez le chocolat en morceaux, puis faites-le fondre au bain-marie. Lissez-le à la spatule – il doit rester fluide.

2. À l'aide d'une cuillère, déposez 20 petits tas de chocolat sur une plaque garnie de papier sulfurisé. Tapotez chaque palet avec le dos de la cuillère.

3. Garnissez chaque palet de 1 pistache, 1 noisette, 1 grain de raisin et 1 zeste d'orange confite. Laissez les mendiants refroidir dans un endroit frais pendant 2 heures avant de les décoller à l'aide d'une spatule.

La pâte de pistache s'utilise facilement dans la préparation des plats cuisinés et des desserts. Vous pouvez remplacer les cerises fraîches par des cerises confites.

Cupcakes à la pistache et à la cerise

POUR 12 CUPCAKES
PRÉPARATION : 25 MIN
CUISSON : 20 MIN

> 40 g de pistaches
> 12 cerises pour décorer

Pour la pâte à cupcake

> 100 g de beurre
> 200 g de farine de blé
> 1/2 sachet de levure chimique
> 100 g de sucre en poudre
> 3 œufs
> 1 cuill. à café de pâte de pistache (dans les magasins bio)

Pour la crème

> 300 g de mascarpone
> 40 g de sucre glace
> 1 cuill. à café de pâte de pistache

1. Préchauffez le four à 180 °C (therm. 6). Préparez la pâte. Dans une casserole, faites fondre le beurre à feu doux, puis laissez refroidir. Dans un saladier, mélangez la farine avec la levure et le sucre, puis versez le beurre fondu et incorporez les œufs un par un. Ajoutez la pâte de pistache et mélangez bien le tout. Beurrez des caissettes en papier, puis répartissez la pâte en emplissant les caissettes aux trois quarts. Enfournez pour 20 minutes, puis laissez refroidir hors du four.

2. Préparez la crème. Dans un autre saladier, mélangez le mascarpone avec le sucre glace et la pâte de pistache. Remplissez une poche à douille cannelée de la préparation et réservez au frais.

3. Dans le bol d'un robot, mixez les pistaches. Déposez une spirale de crème sur les cupcakes à l'aide de la poche à douille. Parsemez de pistaches hachées, ornez chaque gâteau d'une cerise et servez.

Les amandes et les fruits rouges sont réputés pour leurs bienfaits nutritionnels : voici donc un dessert qui joint l'utile à l'agréable.

Cuillères de fruits rouges à la crème aux amandes

POUR 12 CUILLÈRES

PRÉPARATION : 15 MIN

CUISSON : 10 MIN

> 50 g de sucre roux en poudre
> 250 g de fruits rouges mélangés (framboises, groseilles, myrtilles...)

Pour la crème aux amandes

> 50 cl de lait
> 1 gousse de vanille
> 30 g de sucre en poudre
> 1 pincée de sel
> 50 g d'amandes en poudre
> 1 cuill. à soupe de farine (facultatif)

1. Préparez la crème. Dans une casserole, réunissez le lait, la vanille, le sucre et le sel, puis portez à ébullition. Versez les amandes en poudre dans un saladier, recouvrez-les de la préparation et mélangez le tout avec une cuillère en bois jusqu'à obtention d'une crème homogène et épaisse. Ajoutez éventuellement un peu de farine si la préparation n'est pas assez épaisse. Réservez au frais.

2. Dans une petite casserole à feu moyen, faites chauffer le sucre roux avec 35 cl d'eau jusqu'à obtention d'un sirop. Retirez du feu, puis placez les fruits rouges dans le sirop et laissez refroidir. Répartissez les fruits au sirop dans des cuillères et garnissez-les de 1 cuillerée à soupe de crème aux amandes.

Brochettes de fruits et de bonbons

POUR 12 BROCHETTES DE CHAQUE

PRÉPARATION : 15 MIN

Pour les brochettes à la banane et aux guimauves

> 12 mini-bananes
> le jus de 1 citron
> 20 à 30 g de mini-guimauves
> 12 boules de chocolat

Pour les brochettes au raisin et aux bonbons

> 12 grains de raisin blanc
> 12 grains de raisin rouge
> 12 Tagada®

Pour les brochettes aux fruits

> 1 pomme
> le jus de 1 citron
> 2 kiwis
> 24 framboises

1. Préparez les brochettes à la banane et aux guimauves. Épluchez les bananes, puis arrosez la chair de jus de citron. Sur des piques en bois, enfilez quelques mini-guimauves, une banane entière et 1 boule de chocolat.

2. Préparez les brochettes au raisin et aux bonbons. Lavez et séchez soigneusement les grains de raisin. Sur des piques en bois, enfilez les grains de raisin et les Tagada® en les alternant.

3. Préparez les brochettes aux fruits. Lavez la pomme, coupez-la en quartiers et retirez les pépins. Détaillez les quartiers en lamelles, puis arrosez-les de jus de citron. Épluchez les kiwis et coupez-les en rondelles. Passez rapidement les framboises sous un filet d'eau froide. Sur des piques en bois, enfilez les fruits en les alternant.

Les cerises à l'eau-de-vie peuvent être utilisées pour cette recette. Dans ce cas, il est inutile de les faire macérer davantage.

Cerises déguisées au chocolat

POUR 30 CERISES

PRÉPARATION : 20 À 30 MIN

MACÉRATION : 15 JOURS

> 30 cerises à chair ferme sans taches ni meurtrissures
> 20 cl de cognac
> 250 g de chocolat noir

1. Rincez les cerises à l'eau fraîche en laissant la queue et séchez-les avec soin. Mettez-les dans un récipient haut et arrosez-les de cognac. Couvrez de film alimentaire et laissez macérer au réfrigérateur pendant 15 jours.

2. Égouttez les cerises. Étalez-les sur une épaisse couche de papier absorbant et laissez-les bien sécher. Coupez le chocolat en très petits morceaux ou râpez-le, puis faites-le fondre à feu très doux au bain-marie sans cesser de remuer. Saisissez les cerises une à une par la queue et plongez-les rapidement dans le chocolat fondu. Posez-les au fur et à mesure sur une grille ou une plaque recouverte de papier sulfurisé et laissez-les sécher. Recommencez l'opération si vous souhaitez une couche de chocolat plus épaisse.

3. Placez les cerises dans des caissettes en papier plissé avant de les disposer sur un plat ou de les ranger dans une boîte hermétique pour les conserver

Crumbles aux pommes, aux abricots et à la praline

POUR 12 VERRINES
PRÉPARATION : 25 MIN
CUISSON : 35 MIN

> 200 g d'abricots séchés
> 6 pommes
> le jus de 2 citrons
> 2 cuill. à café de cannelle

Pour la pâte à crumble

> 100 g de pralines
> 200 g de beurre salé ramolli
> 200 g de farine
> 240 g de cassonade
> 2 cuill. à café d'extrait de vanille

1. Plongez les abricots dans un bol d'eau tiède pendant 10 minutes pour les réhydrater, puis égouttez-les et coupez-les en lamelles.

2. Préparez la pâte à crumble. Dans un mortier, concassez grossièrement les pralines à l'aide d'un pilon. Coupez le beurre en morceaux. Dans un saladier, réunissez la farine, la cassonade, les pralines concassées, le beurre et l'extrait de vanille. Mélangez le tout du bout des doigts jusqu'à obtention d'une pâte sablonneuse.

3. Préchauffez le four à 170 °C (therm. 5-6). Pelez les pommes, retirez le cœur et coupez la chair en dés. Arrosez-les de jus de citron, puis saupoudrez-les de cannelle.

4. Beurrez des verrines, répartissez-y les morceaux de pomme et d'abricot, ainsi que la pâte à crumble, puis enfournez pour 35 minutes. Sortez les verrines du four et laissez tiédir avant de servir.

Mini-tartelettes au citron

POUR 12 TARTELETTES

PRÉPARATION : 25 À 30 MIN

CUISSON : 20 MIN

> 2 pâtes sablées prêtes à étaler

Pour la crème au citron

> 20 cl de jus de citron vert

> 3 cuill. à soupe de jus de citron

> 10 cl de jus d'orange

> 4 œufs + 4 jaunes d'œufs

> 250 g de sucre en poudre

> 35 g de fécule de maïs

Pour la meringue

> 4 blancs d'œufs

> le même poids de sucre en poudre que les blancs d'œufs

1. Préchauffez le four à 180 °C (therm. 6). Beurrez 12 moules à tartelettes. Étalez les pâtes brisées sur le plan de travail, découpez des disques de 10 cm de diamètre à l'aide d'un emporte-pièce, puis garnissez-en les moules. Piquez les fonds à l'aide d'une fourchette, couvrez-les de papier sulfurisé et répartissez des haricots secs. Enfournez pour 10 minutes.

2. Préparez la crème au citron. Dans une casserole, portez à ébullition les jus de citron et d'orange. Dans un saladier, fouettez les œufs entiers et les jaunes d'œufs avec le sucre jusqu'à obtention d'un mélange mousseux, puis incorporez la fécule de maïs. Versez le jus d'agrumes et mélangez au fouet. Transvasez le tout dans une casserole et faites cuire 7 minutes à feu doux sans cesser de remuer. Versez la préparation dans un autre récipient et laissez refroidir.

3. Préparez la meringue. Dans un saladier, fouettez les blancs d'œufs en neige, puis incorporez le sucre, sans cesser de battre, jusqu'à obtention d'un mélange ferme et brillant.

4. Garnissez chaque fond de tarte d'une noix de crème au citron, puis de meringue. Faites éventuellement dorer celle-ci au chalumeau et servez.

Crumbles à la pêche et au gingembre

POUR 12 VERRINES

PRÉPARATION : 20 MIN

CUISSON : 15 MIN

> 12 spéculos
> 20 g de beurre salé ramolli
> 30 g de cassonade
> 6 pêches
> 1 morceau de gingembre de 2 cm
> 2 citrons verts

1. Préchauffez le four à 180 °C (therm. 6) et tapissez une plaque de cuisson de papier sulfurisé. Dans le bol d'un robot, réunissez les spéculos, le beurre et la cassonade, puis mixez le tout par impulsions, jusqu'à obtention d'une pâte sablonneuse. Étalez le mélange sur la plaque de cuisson et enfournez pour 15 minutes. Laissez refroidir, puis émiettez le mélange.

2. Pelez les pêches, coupez-les en deux, retirez le noyau et détaillez la chair en dés. Râpez le gingembre. À l'aide d'un couteau Économe, prélevez le zeste d'un citron vert, puis coupez-le en fines lanières. Coupez les citrons verts en deux et pressez-les. Dans un saladier, réunissez les dés de pêche, le gingembre râpé et le jus de citron, puis mélangez bien le tout.

3. Répartissez la préparation aux pêches dans des verrines, puis recouvrez de crumble. Décorez de lamelles de zeste de citron vert, puis servez.

Pour la préparation de ces gourmandises, il faut un peu de patience, mais votre travail sera récompensé par les compliments de tous ceux qui y goûteront.

Corolles au chocolat, mousse au chocolat blanc

POUR 4 PERSONNES
PRÉPARATION : 30 MIN
CUISSON : 10 MIN

Pour la pâte

> 60 g de beurre
> 1 blanc d'œuf
> 60 g de sucre glace
> 50 g de farine
> 10 g de cacao amer en poudre

Pour la mousse au chocolat blanc

> 15 cl de lait entier
> 40 g de chocolat blanc
> 25 cl de crème fraîche liquide très froide
> 1 cuill. à soupe de sucre glace
> vermicelles colorés ou copeaux de chocolat

1. Préparez la pâte. Faites fondre le beurre au bain-marie. Battez le blanc d'œuf et le sucre glace, puis ajoutez le beurre fondu, la farine et le cacao en poudre. Mélangez bien, puis laissez reposer à couvert au réfrigérateur.

2. Préparez la mousse au chocolat blanc. Dans une casserole, faites chauffer le lait, puis ajoutez le chocolat blanc et laissez refroidir. Montez la crème liquide en chantilly avec le sucre glace, puis incorporez-la au chocolat.

3. Préchauffez le four à 200 °C (therm. 6-7). Sur une plaque de cuisson, formez des disques de pâte, puis enfournez pour 4 minutes. Sortez-les du four, puis modelez-les en forme de corolle. Laissez refroidir.

4. Garnissez les corolles de mousse à l'aide d'une poche à douille, puis parsemez-les de vermicelles ou de copeaux de chocolat.

Tartares d'ananas et chantilly à la noix de coco

POUR 12 VERRINES

PRÉPARATION : 25 MIN

RÉFRIGÉRATION : 2 H

> 20 cl de crème fraîche liquide entière
> 20 cl de lait de coco
> 1 gros ananas ou 2 petits ananas Victoria
> 1 bouquet de menthe
> le jus de 1 citron vert
> 10 g de cassonade
> 12 physalis

1. Dans un saladier, mélangez la crème liquide et le lait de coco, puis réservez 2 heures au réfrigérateur.

2. Enlevez la base et le sommet de l'ananas, puis ôtez son écorce et détaillez sa chair en dés, en ôtant la partie centrale. Lavez, séchez, puis effeuillez la menthe. Gardez les plus belles feuilles pour la décoration et hachez les autres. Dans un autre saladier, réunissez les dés d'ananas, les feuilles de menthe hachées et le jus de citron vert, puis mélangez le tout délicatement.

3. Sortez la crème et le lait de coco, puis fouettez-les en chantilly en incorporant la cassonade progressivement. Répartissez la crème Chantilly dans des verrines, puis recouvrez du tartare d'ananas. Décorez de feuilles de menthe et de physalis, puis servez.

La pâte de pistache donne un goût tout particulier aux truffes. Vous pouvez aussi l'utiliser pour confectionner de délicieux macarons.

Truffes vertes aux pistaches

POUR 15 TRUFFES ENVIRON

PRÉPARATION : 20 MIN

CUISSON : 10 MIN

- 50 g de crème fraîche liquide
- 20 g de pâte de pistache (dans les magasins bio)
- 110 g de chocolat noir
- 25 g de beurre
- 1 poignée de pistaches non salées
- 2 cuill. à soupe de sucre en poudre

1. Dans une casserole, portez la crème liquide à ébullition, ajoutez la pâte de pistache et mélangez bien. Placez la casserole au bain-marie, ajoutez le chocolat en morceaux et laissez fondre en remuant de temps en temps. Ajoutez le beurre et mélangez, jusqu'à obtention d'une pâte homogène. Mettez la ganache obtenue au frais pour la raffermir.

2. Dans un mortier, pilez les pistaches jusqu'à obtention d'une poudre fine. Sortez la ganache, puis façonnez des boules avec les mains légèrement mouillées. Roulez-les dans le sucre et les pistaches. Réservez les truffes au frais jusqu'au moment de les déguster.

Une pincée de thé vert transforme une simple crème Chantilly en dessert inoubliable...

Coupes de chantilly au thé vert et fruits frais

POUR 12 COUPES

PRÉPARATION : 15 MIN

> 250 g de fraises
> 275 g de litchis
> 25 cl de crème fraîche
> 80 g de sucre en poudre
> 1 cuill. à café de thé vert en poudre

1. Placez un saladier et les fouets du batteur électrique au congélateur. Rincez les fraises à l'eau froide, équeutez-les et coupez-les en morceaux. Égouttez les litchis et coupez-les en quatre.

2. Sortez le saladier et les fouets du congélateur. Battez la crème fraîche en chantilly ferme en incorporant le sucre progressivement. Ajoutez la poudre de thé vert sans cesser de fouetter.

3. Répartissez la chantilly dans des coupes, disposez les fraises et les litchis, puis servez.

Le chocolat a des propriétés antidépressives et le piment est un puissant stimulant... Voici une recette qui réserve bien des surprises !

Coupelles à la mousse au chocolat pimentée

POUR 12 COUPELLES

PRÉPARATION : ENVIRON 35 MIN

CUISSON : 20 MIN

> 300 g de pâte brisée prête à étaler
> 100 g de chocolat noir

Pour la mousse

> 200 g de chocolat aux piments (ou 200 g de chocolat et 1/2 cuill. à café de piment)
> 1 œuf
> 120 g de sucre en poudre
> 2 feuilles de gélatine
> 10 cl de crème fraîche liquide froide

1. Préchauffez le four à 170 °C (therm. 5-6). Étalez finement la pâte brisée au rouleau à pâtisserie. Découpez des disques avec un emporte-pièce rond et tapissez-en des moules sphériques. Piquez la pâte avec une fourchette, puis enfournez pour 10 minutes.

2. Préparez la mousse. Faites fondre le chocolat pimenté au bain-marie. Avec un batteur, fouettez l'œuf et le sucre, jusqu'à obtention d'un mélange mousseux. Dans un bol d'eau froide, plongez la gélatine, essorez-la, puis ajoutez-la au chocolat fondu et mélangez avec une cuillère en bois. Battez la crème liquide en chantilly. Mélangez le chocolat avec la préparation œufs-sucre, puis incorporez délicatement la chantilly. Laissez reposer.

3. Faites fondre le chocolat noir au bain-marie, puis trempez-y l'extérieur des coupelles et laissez refroidir. À l'aide d'une poche à douille, garnissez les coupelles de mousse pimentée.

Pour cette recette, choisissez un thé corsé comme le earl grey, un thé aux agrumes ou un thé épicé de type cachemire.

Coupes de fruits secs aux figues et aux kumquats

POUR 12 COUPES
PRÉPARATION : 15 MIN
MACÉRATION : 2 H

- > 400 g de fruits secs mélangés (dattes, figues, pruneaux, raisins, abricots...)
- > 2 sachets de thé
- > 100 g de cassonade
- > 20 cl de jus d'orange
- > 6 petites figues
- > 6 gros kumquats

1. Coupez les fruits secs en petits dés et mettez-les dans un saladier. Portez 40 cl d'eau à ébullition, puis hors du feu faites infuser les sachets de thé pendant 5 minutes.

2. Retirez les sachets de l'eau et versez l'infusion sur les fruits secs ainsi que la cassonade et le jus d'orange. Laissez macérer les fruits pendant 2 heures.

3. Coupez les figues et les kumquats en quartiers. Répartissez les fruits secs dans des coupes avec leur jus, puis décorez avec les fruits frais et servez.

Direction éditoriale : Véronique de Finance-Cordonnier
Édition : Marion Pipart
Direction artistique : Emmanuel Chaspoul
Réalisation : Belle Page, Boulogne
Couverture : Véronique Laporte
Fabrication : Annie Botrel

Crédits photographiques : p. 6, 7, 12, 13 : Christian Adam © coll. Larousse (Stylisme : Noëmie André) ; p. 11, 21, 46, 47, 50, 51, 58, 59 : Fabrice Besse © coll. Larousse (Stylisme : Noëmie André) ; p. 15 : Marie-José Jarry © coll. Larousse (Stylisme : Bérengère Abraham) ; p. 19, 25, 28, 29, 36, 37, 42, 43, 45, 49, 52-55, 57 : Massimo Pessina © coll. Larousse (Stylisme : Rosalba de Magistris) ; p. 5, 17, 23, 26, 31, 41 : Olivier Ploton © coll. Larousse (Stylisme : Bérengère Abraham) ; p. 27, 33 : Olivier Ploton © coll. Larousse (Stylisme : Noëmie André) ; p. 9, 35, 39 : Amélie Roche © coll. Larousse (Stylisme : Manuella Chantepie).

L'éditeur remercie pour le prêt de linge et d'objets : ASA (www.asa-selection.com), Coming B (wwwcomingb.fr), Fleux, 39 et 52 rue sainte Croix de la Bretonnerie 75004 Paris (01 42 78 27 20), Léonardo (www.leonardo.de), Montgolfier (wwwmontgolfier.fr), Linge au Cœur (www.lingeaucoeur.com), Ressources (www.ressources-peinture.com), Emery (www.emeryetcie.com), Villa Paris (01 42 74 07 05), La Cabane de l'Ourse (www.lacabanedelourse.com), La Forge Subtile, 11 rue de l'odéon 75006 Paris (01 40 51 09 30), Mis en Demeure (www.misendemeure.com), La Maison des Rêves (www.maisondesreves.com), La Compagnie Française d'Orient et de Chine (www.cfoc.fr), Jeannine Cros (01 45 48 00 67), Clotilde Buschini (01 45 44 30 11), Caravane (www.caravane.fr), Wooden (www.woodenlist.com) et Mme Mylène Demongeot pour le prêt de la brocante (www.mylene-demongeot.fr).
Et l'éditeur remercie tout particulièrement Véronique Jean pour sa participation efficace.

ISBN : 301-0-00-000283-3

Photogravure Turquoise, Émerainville
Imprimé en Chine par Leo Paper Products
Dépôt légal : septembre 2010
304 611/01-11011875-avril 2010